Mi madre se llama Pandora. Ella es quien va al hospital a por botellas de sangre para mí, porque yo soy demasiado pequeño para morder a la gente.

Mi madre va siempre muy elegante eso que para ella no es nada fácil, porque su imagen no se refleja en los espejos.

Mi madre es una vampiresa del siglo XVIII, pero parece mucho más joven.

El Capitán de los Muertos no es mi padre. Es el marido de mi madre desde hace mucho mucho tiempo. Antes era un pirata. Lleva trescientos años escribiendo una ópera y eso que me parece que todavía va por el principio.

Él es quien protege a todos los habitantes de la casa.

En la cripta, debajo del cementerio, el capitán guarda celosamente su barco pirata. Puede que algún día nos lleve en él, pero me parece que mamá está celosa de la figura del mascarón de proa.

En la página siguiente...

os hablo de los monstruos

Fantomate es un perro fantasma de color rojo. Viene de Niza, como los tomates a la provenzal, y no tiene muy buenas pulgas. Habla con un acento muy divertido y también vuela, como yo.

Margarito está hecho con trozos de cadáveres, pero me parece que se les olvidó el cerebro. Pesa trescientos kilos y habla como un bebé. No puede evitar hacerse caca por todas partes, pero no lleva pañales porque ¡menudo trabajo para cambiarle! De todas formas, no hacen bragas pañal de su talla.

Claudio es un cocodrilo radiactivo. A veces le sal[en] dedos de más en las patas y se los tiene que cor[tar]. Es un exaltado. Le gusta la mecánica, los coche[s,] los patinetes. Es un broncas de cuidado. Con nosotros es simpático pero, si le molesta algún desconocido, lo descuajaringa. En cuanto a cerel[lo] es bruto, aunque menos que Margarito.

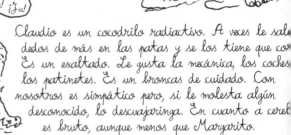

Oftalmo es un viejo monstruo blandengue que viene de las islas. Toca el piano. Escucha discos antiguos. Se queda dormido delante de la tele. Lleva modelitos de color rosa salmón, gemelos en los puños y guantes de seda blancos. Tiene un laboratorio donde hace inventos científicos. Oftalmo es un sabio. A veces sus descubrimientos nos sirven para algo. Pero casi todo el tiempo explotan, lo ponen todo perdido de humo y nos complican la vida.

Yo estaba tan contento en mi casa, pero me aburría. Entonces me dieron permiso para ir al colegio, a ver si se me pasaba. ¡A un colegio de niños vivientes de verdad!

Pero iba por la noche, para que nadie me viera.

Usaba los libros de los chicos de la clase, revolvía sus cosas. Una noche fui y me puse a escribir en el cuaderno de un chico. Le hice todos los deberes y el chico se llamaba Miguel y se hizo mi mejor amigo.

> ¡Huy! ¡Alguien ha hecho los deberes de mates por mí!

> ¡Y cero errores, además!

Los padres de Miguel están muertos, como los míos, sólo que los míos son muertos vivientes y los suyos son muertos muertos.

> Y por eso tú eres un vampiro y yo soy un huérfano.

> Ah. ¿Y qué es un huérfano?

> Así como yo, vamos, normal.

Miguel vive en una casita baja con palmeras. Es la casa de su abuelo y de su abuela. Son gente que viene de UCRANIA (Ucrania es un país). Miguel y sus abuelos son de religión judía y por eso, hay muchas cosas que no les está permitido (ellos dicen que «no es kosher»): no pueden comer cerdo, no creen en Papá Noel y, al revés que los vampiros, no pueden tomar sangre. Pero cuando Miguel viene a mi casa, mi mamá en vez de sangre le hace chocolate y él tan contento.

El abuelo se llama Doctor Arturo Haftel. Le da por ligar con las señoras que conoce y, de vez en cuando, cuida a sus maridos. Es elegante, aunque lleva peluquín.

La abuela es quien hace la declaración de la renta y se ocupa de nosotros. Ella no sabe que soy un vampiro y me llama «Juampiro» en lugar de «Vampiro». Siempre está con eso de que tengo mala cara y quiere todo el rato que salgamos a tomar el aire.

Miguel dice que está por Sandrina, su compañera del colegio, pero la verdad es que no para de ligar con mi mamá. Con eso de las chicas Miguel es un rollo. A mí no me interesan, eso. Prefiero estar con mis colegas.

ALFAGUARA
INFANTIL

Título original: *Roman Petit Vampir 2 Docteur Marguerite*
© 2004 Guy Delcourt Productions – Fardel – Sfar
© De esta edición:
2006, Santillana Ediciones Generales, S. L.
Torrelaguna, 60.
28043 Madrid
Teléfono: 91 744 90 60

Coordinación de edición: Marinella Terzi
Dirección técnica: Víctor Benayas
Coordinación de diseño: Beatriz Rodríguez
Maquetación: David Rico

Aguilar, Altea, Taurus, Alfaguara S. A. de Ediciones
Leandro N. Alem 720 CIooIAAP Buenos Aires. Argentina

Editorial Santillana, S. A. de C. V.
Avda. Universidad, 767. Col. del Valle,
México D.F. C.P. 03100 México

Distribuidora y Editora Aguilar, Altea, Taurus, Alfaguara, S.A.
Calle 80, nº 10-23. Bogotá. Colombia.

ISBN: 84-204-6875-4
Depósito legal: M-4.967-2006
Printed in Spain – Impreso en España por
Huertas, S. A., Fuenlabrada (Madrid)

3 historias de

VAMPIR

DOCTOR MARGARITO

Textos de
Joann SFAR y Sandrina JARDEL

Ilustraciones de
Joann SFAR

Traducción de
atalaire

ALFAGUARA
INFANTIL

El Ojo del Cíclope

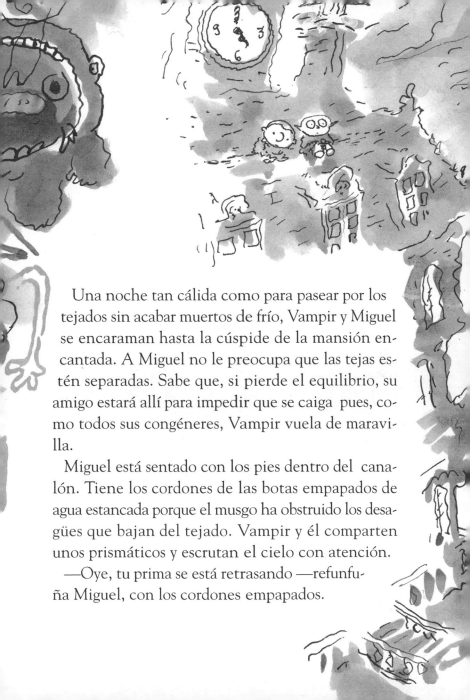

Una noche tan cálida como para pasear por los tejados sin acabar muertos de frío, Vampir y Miguel se encaraman hasta la cúspide de la mansión encantada. A Miguel no le preocupa que las tejas estén separadas. Sabe que, si pierde el equilibrio, su amigo estará allí para impedir que se caiga pues, como todos sus congéneres, Vampir vuela de maravilla.

Miguel está sentado con los pies dentro del canalón. Tiene los cordones de las botas empapados de agua estancada porque el musgo ha obstruido los desagües que bajan del tejado. Vampir y él comparten unos prismáticos y escrutan el cielo con atención.

—Oye, tu prima se está retrasando —refunfuña Miguel, con los cordones empapados.

—Los globos dependen del viento, ya sabes —se justifica Vampir.

El agua va calando los calcetines de Miguel. Al mover los dedos de los pies, suena flic-floc. El chico estornuda.

—Hablando de viento, empiezo a estar helado —dice el pobre—. Me voy dentro.

Pero Vampir se lo impide:

—¡Espera! Veo algo… ¡Sí! ¡Es Ofelia! ¡Es ella!

Miguel le quita los prismáticos a su amigo ¡y ve algo increíble! En mitad de una nube de aves, aparece un ojo gigantesco -el globo- y colgando de él una barquilla de mimbre con un monumento de chica dentro. Y a pesar de que está lejos todavía, se da cuenta de que la prima Ofelia tiene toda la pinta de una punki gótica.

Se puede pensar, y con razón, que una vestimenta tan ridícula resulta francamente vulgar en un vampiro y que la prima Ofelia habría podido salirse de las costumbres de su raza optando por una ropa menos fúne-

bre. Pero al haber muerto en plena pre-
adolescencia, tendrá que conservar eter-
namente el discutible gusto en el vestir
de una fan de la cantante Alaska. En
cuanto a Miguel, sólo tiene diez años y
a él ese estilo le parece absolutamente
genial.

A medida que el globo se acerca, Miguel va distinguiendo mejor los rasgos
de Ofelia. Se diría que tiene los ojos
grises, pero los lleva perfilados de
color negro, así que es difícil de ase-
gurar. Y los labios, pintados de negro.
Y el pelo, negro también. Con refle-
jos azules, como las plumas de la nube
de cuervos que acompaña a la aeronave.
Su melena ondea al viento como una bandera
pirata. Le azota la cara. Ofelia sonríe un poquitín,
es irresistible.

—¡Tu prima está como un tren! —exclama Miguel.

Vampir no parece compartir su entusiasmo. En
asuntos de magia va muy por delante, pero las
chicas no le hacen mucha gracia. Tiene a su ma-

dre y con eso le basta. Y como los vampiros no envejecen, puede que su falta de interés por las mujeres no cambie con el tiempo. Cuentan con toda la eternidad para ocuparse de otras cosas mucho más divertidas, como el fútbol por ejemplo. Le explica a Miguel que su prima tiene un carácter horrible y que en cuanto la vea se va a decepcionar. ¿Un carácter horrible? ¡Pues mejor! A Miguel le encantan las chichas malas. Vampir se encoge de hombros y aprovecha los últimos momentos antes de la llegada del globo para recordar a su amigo que su prima puede morderle si se le acerca demasiado. Miguel no le escucha. Mira el traje de la vampiresa. Ofelia lleva algo parecido a una falda escocesa que se mueve a merced del viento lo mismo que su pelo. Se ha subido a la barquilla de mimbre. El dirigible se coloca a la altura del tejado. Vampir contempla el extraño y reluciente globo, cuyos párpados de elefante se agitan de una manera un tanto horrible, dejando escapar a veces unas lágrimas monumentales. Miguel se queda extasiado.

—¡Cógela! —ordena Ofelia lanzándole una cuerda.

Vampir la atrapa y la enrolla alrededor de una chimenea en la que ha anidado una familia de cigüeñas. Entretanto, Miguel ayuda a Ofelia a saltar al tejado. Lleva unas botas de caña alta con herrajes y dieciséis ojetes, que pinta todos los años a pistola, de tal manera que ya brillan como el esmalte. Tan emocionado está Miguel que no se da cuenta de que Ofelia es demasiado alta para él. No le llega ni a los hombros. La joven lleva un piercing en el ombligo. Vampir los presenta:

—Miguel, Ofelia; Ofelia, Miguel.

—¿Por qué estás tan colorado? —pregunta la chica con cierta crueldad.

Miguel le responde que porque está vivo. Ofelia, altiva, pasa por delante de él sin mirarle, mientras suelta un ‹‹Ah sí, claro››. Y, sin prestarle la menor atención, le dice a su primo:

—Espero que no sea como la última vez, ¿eh? Confío en que hayas preparado algo divertido.

—No entiendo lo que quieres decir. Nosotros siempre nos divertimos. ¿Y qué te gustaría hacer exactamente? —responde Vampir molesto.

—Lo que sea menos cosas de críos.

—Hale, vete a saludar a mis padres y luego te digo.

—¡Ah, sí! Hace un siglo que no los veo.

—Pues no han cambiado nada —responde Vampir con la ironía de los grandes bromistas.

—Muy chistoso, ¿estudias para payaso? —replica Ofelia.

—Ven, Miguel —gruñe Vampir malhumorado.

—¡Espera! ¡Es genial el globo de tu prima! —exclama el niño, alucinado.

Ofelia, apaciguada, se vuelve hacia él.

—¿De verdad? ¿Te gusta?

—¿Pero normalmente no funcionan con helio estos aparatos? En el tuyo no veo

la llama. ¿Qué haces para despegar? —pregunta Miguel, encantado de encontrar un tema de conversación.

—Ah, no, éste es diferente. No es un globo de verdad, es un ojo de cíclope —le explica la *señorita profesora con falda escocesa.*

—¡Aaaah! ¿Y dónde lo has conseguido? —pregunta Miguel muy interesado.

—En Grecia —responde la morena acariciando con un dedo la esclerótica* de su extraño vehículo.

Y así siguen las preguntas durante un buen rato, para desgracia de Vampir, aburrido ya de espe-

rar. Miguel insiste en saber exactamente
cómo despega El Ojo del Cíclope. Ro-
deada de cuervos y encantada de que
alguien se interese por su invento, la
punki le cuenta que la superficie del
ojo tiene que estar siempre hume-
decida por las lágrimas, ¡o de lo contrario el ojo se caería! Entonces Miguel va y le pregunta cómo se llenan
las glándulas lacrimales del globo. Y Ofelia inmediatamente le señala una pequeña alcachofa de ducha situada en
lo alto del aparato. El sistema
se llama difusor de lágrimas,
tiene que estar permanente-
mente en funcionamiento y es
muy frágil.

Vampir, harto ya de tanta palabrería, le
recuerda a su colega que antes de que Ofelia
llegara tenía mucho frío, así que le propone
irse dentro. Pero ahora mismo Miguel ya no
se acuerda ni de sus arrugados dedos de los
pies ni de sus calcetines empapados.

* Palabra muy fina utilizada para designar el
blanco del ojo.

—Estoy muy bien —replica el chico—. Prefiero quedarme en el tejado viendo el globo de Ofelia.

—Me pones de los nervios, paso del globo. Así que me voy yo solo para dentro —refunfuña Vampir.

—¡Ja! No me extraña nada —se burla Ofelia—. Miguel, algunas cosas superan la inteligencia de mi primo.

Dicho esto, la morena adelanta a Vampir y se cuela por una ventana en la mansión encantada. Miguel la sigue inmediatamente, ¡el muy pelota!

Fuera de sí, Vampir desaparece también en la casa y el globo se queda allí, flotando suavemente al otro extremo de la cuerda. Pero muy pronto su indolente ir y venir incomoda a las cigüeñas.

En la mansión, Pandora está ofreciendo mantecados a todo el mundo. La familia se ha reunido a tomar el té. El Capitán de los Muertos encuentra en Ofelia un montón de cualidades. Pandora le recoge el pelo, le regala joyas: un broche, un collar. Vampir está harto de que su prima le guste a todo el mundo, incluso el perro la adora.

—Bueno, se acabó el té; vamos a jugar a mi habitación.

Vampir se marcha, y Fantomate y los demás salen detrás.

Entretanto, en el tejado, la familia de cigüeñas al completo no para de mordisquear la cuerda. Los cuervos de Ofelia, que no son muy valientes, les dejan hacer. Al final, el nudo cede ante los continuos picotazos y el globo lentamente comienza a alejarse de la vieja mansión.

En la habitación de Vampir los chicos no se dan cuenta de nada. Han encendido el televisor.

—¿… No ves nunca los dibujos animados? —pregunta Miguel con incredulidad.

—¿Te crees que en la cripta hay tele? Pues no, y además salgo mucho. No tengo tiempo de ver dibujos animados —responde la bella Ofelia.

—Pues la amiga de Albator se llama Esmeralda y es muy guapa y tiene un

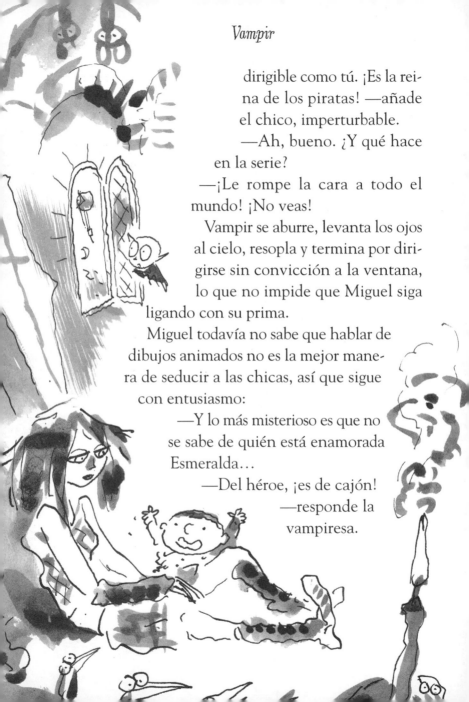

dirigible como tú. ¡Es la reina de los piratas! —añade el chico, imperturbable.

—Ah, bueno. ¿Y qué hace en la serie?

—¡Le rompe la cara a todo el mundo! ¡No veas!

Vampir se aburre, levanta los ojos al cielo, resopla y termina por dirigirse sin convicción a la ventana, lo que no impide que Miguel siga ligando con su prima.

Miguel todavía no sabe que hablar de dibujos animados no es la mejor manera de seducir a las chicas, así que sigue con entusiasmo:

—Y lo más misterioso es que no se sabe de quién está enamorada Esmeralda…

—Del héroe, ¡es de cajón! —responde la vampiresa.

—¡Pues no! Fíjate que hay un chico muy simpático…

—¡Ofelia! ¡¡¡Tu globo!!! —grita Vampir.

A través de los cristales de la habitación de Vampir, los chicos observan estupefactos cómo la impo-
nente silueta del globo-cíclope se aleja despacio so-
brevolando el bosque. Ofelia corre a la ventana y le
da el ataque:

—¡Venga, Vampir! ¿A qué esperas? ¡Vete por él!

En un abrir y cerrar de ojos, Vampir sale volando
tras el globo. Miguel se queda allí sin saber qué hacer.

—¡Pero ve tú también! ¿A qué esperas? —le ordena la muchacha.

—¡Quééé! ¡Yo no soy un vampiro! ¡No puedo volar! ¡Tienes que llevarme!

—Tú estás loco. Pesas demasiado —protesta la nin-
fa de lo más ofuscada.

—Pues entonces vas a tener que ir sola a buscar el
globo.

—Eh… no, estoy segura de que Vampir se las apa-
ñará muy bien sin mí.

—¡Huy, qué va, no creas! Sin mí, la verdad, se encuentra un poco perdido

—explica Miguel con voz grave. E, inmediatamente, llama al perro mágico del condado de Niza—:
¡FANTOMAAAATEEE!

Sin apresurarse, el bulldog hace su aparición atraído por todo el revuelo. Miguel salta a lomos del perro, al estilo Gary Cooper montando a caballo. Y para hacerlo aún más realista, le da una palmada en la grupa.

—¡Venga! ¡Arre! —grita el chaval.

—¡Eeeeeeh! Me ofendes, niño, ¿qué haces? ¿Tú estás mal o qué?

—¡El globo! ¡El globo! —berrea Miguel en el colmo de la excitación, espoleando al animal.

—¿Qué globo ni qué globo? ¿A tus años quieres un globito, guapo?

—¡El globo! ¡El globo! —se desgañita Miguel, y sigue espoleándolo.

—Ah, pero si es la pequeña Ofelia, ¿te diviertes querida, va todo bien? —pregunta el perro fantasma.

—¡No ves que mi globo se escapa! ¡Atrápalo, rápido! —grita esta vez Ofelia, al borde de las lágrimas.

Fantomate echa un rápido vistazo por la ventana y termina por comprender la cuestión.

—Agárrate bien —le dice a Miguel, y se lanza a toda mecha.

Desde la ventana de la vieja mansión, Ofelia los ve alejarse.

En realidad no tienen que hacer gran cosa porque Vampir ya se ha hecho con la punta de la cuerda. Está regresando cuando se cruza con ellos, acompañado por la nube de cuervos que ha seguido al globo en su huida. Miguel se ofrece a ayudarle a tirar. Vampir le responde que no hace falta, que ya se las apaña él solo. Pero Miguel insiste en colaborar. Cuanto más se acerca el convoy a la casa, más tira Miguel de la cuerda, se mueve o da órdenes al bulldog y a su colega el vampiro. Hace de todo para demostrarle a Ofelia que se toma muy en serio su misión de salvamento. Ofelia ha bajado al jardín. Agarra la cuerda que lanzan los chicos y la ata a un árbol.

—Gracias, Miguel —dice—, realmente eres un encanto.

—No, gracias a mi perro —refunfuña Vampir.

—Los chicos llegan a la conclusión de que en el jardín el globo está protegido del viento. El glotón de Fantomate exige una merienda a tono para que todo el mundo pueda recuperarse de tantas emociones.

—Desde aquí huelo las galletas de doña Pandora —ladra relamiéndose.

¡Todos se relamen de gusto!

El alegre cuarteto desaparece en la vieja mansión. Más tarde, en el jardín, dos monstruos sacan fuera la piscina de plástico. El primero se llama Margarito y es una es-

pecie de criatura a lo Frankenstein con el cerebro de un bebé de tres años. El segundo es un cocodrilo radiactivo al que le salen dedos de más y se llama Claudio. Los monstruos llenan la piscina de agua y se ponen a chapotear dentro, sin tomarse la molestia de quitarse la ropa, ni siquiera los zapatos. Salpican por todas partes. Escupen dentro de la piscina. Se divierten un ratito. Pero en seguida les entra un aburrimiento mortal. Empiezan a nadar sin ganas. Al final terminan cantando una canción de lo más sosa:

En el bosque los domingos
los patitos, los patitos
sacuden sus alas, ¡plas! ¡plas!,
despacito, despacito.
Y alzando la pata al compás
bailan y bailan hacia atrás,
hacia atrás.
Y nada más.

—Menudo aburrimiento —dice el cocodrilo.

—Es verdad —responde el ogro lleno de cicatrices.

—¿Jugamos a quién hace pis más lejos?

—No puedo, acabo de hacer en el agua.

—Ah…

De repente, Claudio levanta el morro y descubre el enorme globo de Ofelia. Se le ocurre una idea. A propósito de ideas, hay que aclarar que ni Claudio ni Margarito son demasiado avispados. De todas formas, Claudio es un poco menos tonto que su enorme colega.

—Oye, ¿tú sabes para qué vale esa máquina?

—¡Sííí, le haces un agujero y luego se explota y hace mucho ruido.

—¡Nooo, que después de explotarla hay que hincharla otra vez! Escúchame, verás. El globo llega hasta arriba de la casa. Pues nos subimos al tejado y luego nos tiramos por las tejas y saltamos encima del globo, como si fuera un tobogán, y aterrizamos en la piscina ¡y lo ponemos todo perdido de agua!

—¡Y, mientras, gritamos!

—¡A lo bestia!

—¡Mola, colega!

Un instante después, los dos cernícalos suben a toda mecha las escaleras de la vieja mansión, chorreando agua por las alfombras y gritando: ‹‹¡El tobogán de la muerte!››. Cuando llegan al desván, tratando de que el Capitán de los Muertos no repare mucho en ellos, salen al tejado por un tragaluz y, una vez allí, empiezan a dejarse caer con un estruendo de tejas y berreando: ‹‹¡¡¡¡Es el tobogán de la muerte que mata a los muertos!!!!››.

Y entonces, los muy inconscientes saltan sobre el globo, cuya superficie bañada en lágrimas los ayuda a deslizarse, y terminan por rodar a la

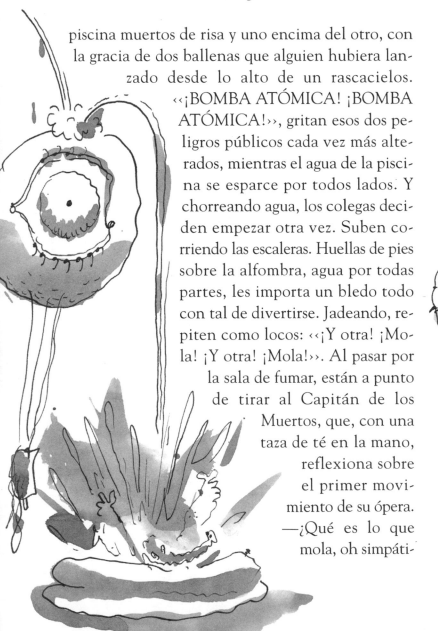

piscina muertos de risa y uno encima del otro, con la gracia de dos ballenas que alguien hubiera lanzado desde lo alto de un rascacielos. ‹‹¡BOMBA ATÓMICA! ¡BOMBA ATÓMICA!››, gritan esos dos peligros públicos cada vez más alterados, mientras el agua de la piscina se esparce por todos lados. Y chorreando agua, los colegas deciden empezar otra vez. Suben corriendo las escaleras. Huellas de pies sobre la alfombra, agua por todas partes, les importa un bledo todo con tal de divertirse. Jadeando, repiten como locos: ‹‹¡Y otra! ¡Mola! ¡Y otra! ¡Mola!››. Al pasar por la sala de fumar, están a punto de tirar al Capitán de los Muertos, que, con una taza de té en la mano, reflexiona sobre el primer movimiento de su ópera.

—¿Qué es lo que mola, oh simpáticas criaturas de incomprensible vocabulario? —inquiere el Capitán.

—¿Eeeeh…? —responde Margarito, que se ha quedado clavado sin entender ni papa.

—Nada, Capitán —contesta Claudio, pensando con razón que el Capitán no comparte su afición a los toboganes—. ¡Hale, vamos, Margarito!

¡Flic! ¡Floc! Los dos bobos suben al tejado. Y otra vez con lo de tobogán-de-la-muerte-que-mata-gravemente-a-los-muertos-graves. Claudio salta el primero. Bajada perfecta, rebote en el globo de magnífica ejecución y caída en la piscina absolutamente reglamentaria… Luego le toca el turno a Margarito. Con una sonrisa en los labios, cogiendo aire a través del inmenso espacio que separa cada uno de sus dientes amarillentos, se lanza a la prueba con entusiasmo. Al llegar al borde del tejado toma vuelo pesadamente, como una quitanieves empeñada en hacer esquí acrobático. Luego cae de culo con todo su peso y rebota en lo alto del globo, aplastando sin querer la misteriosa alcachofa de ducha de donde brotan las lágrimas. De inmediato, El Ojo del Cíclope deja de estar húmedo: ya no resbala…

—¡Buah! ¿Bajas o qué? —pregunta el cocodrilo castañeteando los dientes con impaciencia.

Margarito se pone nervioso, se tira y nada, que no resbala. Con cada uno de sus movimientos el globo se estropea un poco más. El inmenso ojo se cubre de venas rojas, deja de estar mojado.

—*S´ha roto* —se queja Margarito—. Ese chisme, la ducha esa, no sé si iba pegada o es un tubo que sale, hay que cambiarla.

—¿*Quesssloquedices*? No oigo nada.

—*S´ha jorobao*, ya no hay agua —grita Margarito.

—¡Hala! Buah, baja y hacemos que no ha *pasao* nada.

Mientras que Margarito se deja caer en la piscina, sin más bajadas ni historias, el Capitán de los Muertos asoma la cabeza por la ventana del gabinete.

—¿Decías algo, Claudio?

—No, Capitán.

—No hemos roto nada —se cree en la obligación de añadir Margarito.

—Muy bien, monstruos —dice el Capitán, que como siempre está en la luna—, seguid.

El Ojo del Cíclope

Cierra la ventana y los dos desastres ambulantes deciden quedarse en remojo en la piscina, haciéndose los inocentes:

En el bosque los domingos
los patitos, los patitos
sacuden sus alas blancas
despacito, despacito…

Al poco rato aparecen Ofelia, Miguel y Vampir en el umbral de la mansión encantada.

—¡Qué tragón, Fantomate! —exclama Miguel—. ¿Crees que le durará mucho el empacho?

—No soy veterinario —le replica Vampir, de mal humor.

—Deberías vigilar más a tu perro —le aconseja su prima—. Come demasiado. Si no lo conociera, le habría tomado por un cerdito de lo gordo que está.

—No es culpa mía. Le chiflan los dulces de mi madre.

Ofelia sube entonces a la barquilla del dirigible, sin saber que la máquina ha sufrido desperfectos.

—Bueno —le dice a Vampir—, ¿estás seguro de que no cambiarás de opinión?

—Vamos, Vampir —le anima Miguel, que también sube a bordo—. ¡Vente a dar una vuelta con nosotros, anda!

—Nooo. Prefiero cuidar a mi perro.

Ofelia acciona un mecanismo de cristal y, con un sonido de caja de música, El Ojo del Cíclope se eleva del suelo suavemente.

—Entiende que mi globo puede alcanzar una altura demencial. Lo mismo a mi primo le da miedo.

—Puede que tenga vértigo —dice Miguel muy alto para picar a su amigo y que vaya con ellos.

Vampir se encoge de hombros y entra en la casa.

—¡Hasta luego, primo! ¡De todas maneras, no vamos a tardar mucho!

—¡Ja ja! ¡La tripulación está a vuestras órdenes, reina Esmeralda! —exclama Miguel, que se ha subido a un cabo con mucho cuidado para no caerse.

Pero en cuanto el globo empieza a volar de verdad, ya le cuesta más hacerse el valiente…

El aparato en seguida cobra altura. Fuera del abrigo del bosque, el viento nocturno lo empuja lejos.

Vampir

Hace un poco de frío, pero eso no parece molestar a Ofelia. A Miguel le encantaría abrazarse a ella, pero no se atreve. Se apoya primero en un pie y luego en el otro, aferrándose a la primera cuerda que tiene a mano. La barquilla es minúscula. Entre el trenzado de mimbre, se ve alejarse la tierra: granjas, campos, allá abajo, muy lejos, da miedo. Por suerte el globo empieza a descender. La verdad es que desciende demasiado y eso no parece muy normal.

—¿No puedes subir más? —pregunta Miguel.

—No sé lo que le pasa, la superficie del globo no está lo suficientemente húmeda.

En efecto, el globo no parece gozar de muy buena salud. Cada vez se pone más rojo y pierde mucha altura. Además, el viento lo arrastra hacia una enorme estructura de hierro.

—Eso de allí abajo, ¿qué es? —pregunta Miguel con voz de pánico.

—¡Una central eléctrica! ¡¡¡No debemos ni rozarla!!!

Así que Ofelia se pone a accionar desesperadamente todos los mandos del aparato, pero no hay nada que hacer.

—¡Vamos a estrellarnos, Ofelia! ¡Hay que abandonar el globo!

—¡Ni hablar! —responde ella en tono inapelable.

—¡No seas idiota! —le suplica Miguel, completamente aterrorizado—. ¡Hay que largarse! Nos vamos a hacer puré si no saltamos.

—No, voy… voy a arreglarlo.

Y la extraña muchacha comienza a escalar por la superficie del globo hasta llegar a la alcachofa. Miguel le grita que no lo haga, que es muy difícil y se va a romper el cuello. Ella no le escucha. Antes de llegar arriba, se resbala y pierde el equilibrio.

—¡Pero vuela! ¡Vuela ya! —grita Miguel al ver que se cae.

Pero ella no vuela. Milagrosamente, Miguel logra atraparla por una bota. La sujeta con todas sus fuerzas. Ella se agarra a un cabo y el chaval la ayuda a entrar en la barquilla.

Vampir

—¿No sabes volar? —le pregunta
Miguel pasmado.

—Si le cuentas esto a alguien, te ma-
to —le responde Ofelia amenazante.

—Vale, de todas maneras vamos a estrellarnos, así que…

El globo se acerca peligrosamente a los cables
de alta tensión.

Entretanto, en la mansión encantada todo el mundo ignora la tragedia aeronáutica. Fantomate está
echado sobre un butacón de terciopelo y se deja mi-
mar. Se está reponiendo del empacho. Pero Vampir empieza a preocuparse:

—Oye, Fantomate, ¿no te parece que ya hace mucho que se han ido esos dos?

—¡Ya tengo bastante con lo mío! Padezco una in-
flamación gástrica, señor; mi estómago es un campo de batalla, señor.

—Deberíamos ir a buscarlos de todas formas.

—No. Estoy in-dis-pues-to de la tripa. No me pien-
so levantar.

En ese mismo instante el dirigible se acaba de es-
trellar contra una de las torres de alta tensión de la

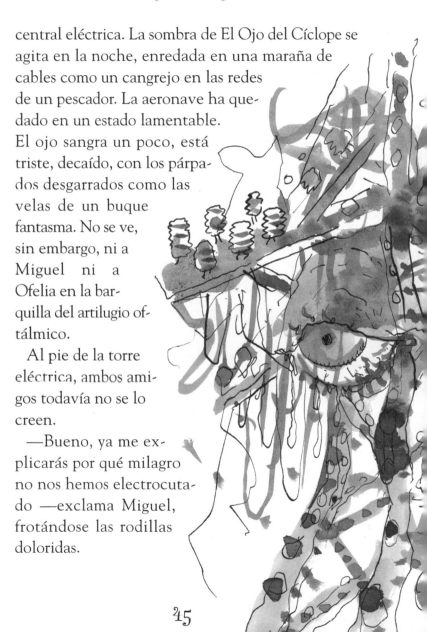

central eléctrica. La sombra de El Ojo del Cíclope se agita en la noche, enredada en una maraña de cables como un cangrejo en las redes de un pescador. La aeronave ha quedado en un estado lamentable.

El ojo sangra un poco, está triste, decaído, con los párpados desgarrados como las velas de un buque fantasma. No se ve, sin embargo, ni a Miguel ni a Ofelia en la barquilla del artilugio oftálmico.

Al pie de la torre eléctrica, ambos amigos todavía no se lo creen.

—Bueno, ya me explicarás por qué milagro no nos hemos electrocutado —exclama Miguel, frotándose las rodillas doloridas.

—No lo sé —responde Ofelia mientras salta a tierra—. No entiendo nada de electricidad.

Se alejan de la central dejando tras de sí el globo averiado. Los cuervos de Ofelia los siguen en silencio. Sólo un viejo pájaro permanece cerca de la barquilla, como aquellos capitanes de antaño que morían con su barco.

—No te preocupes —dice Miguel tras un momento de silencio—. Rescataremos tu globo y mi amigo Oftalmo lo arreglará, los ojos son su punto fuerte. Es como si tu máquina tuviera una conjuntivitis de caballo.

Ofelia deja escapar un largo suspiro de dama romántica.

—¡Un momento! ¡Estamos vivos por lo menos! —protesta Miguel.

Luego, al recordar que está hablando con una vampiresa, dice:

—Bueno, quiero decir, enteros…

—No es eso. Me da vergüenza que conozcas mi defecto.

—Buah, yo tampoco sé volar, no es para tanto.

—Pero en un vampiro eso es una discapacidad —responde Ofelia.

—¿Vampir lo sabe?

—¡No! ¡Él menos que nadie!

—No te preocupes, sé mantener la boca cerrada. Así que por eso eres tan agresiva con él…

—¿Agresiva? ¿Me ves así? —pregunta la preciosa vampiresa, de pronto más apaciguada.

—Mmmm… sííí, pero a mí me gusta que tengas defectos —dice Miguel sacando pecho—. Si no, no me atrevería a ligar contigo. Encima de que eres un poco mayor…

—¿Que te gustaría ligar conmigo, microbio?

—Pues sí, por qué no.

Miguel no le teme a nada. Se han tumbado en la hierba. El chaval mira al cielo, alegre, con las manos cruzadas detrás de la cabeza. Ofelia le observa y ambos se echan a reír. Casi todos los cuervos se muestran un poco desconcertados, les parece que no hay nada de qué reírse, que no es precisamente una buena noche. Miguel y Ofelia bromean bajo la luz de la luna. Por delicadeza, algunos cuervos se empiezan a reír también, sin saber por qué. Ofelia le dice a

Miguel que jamás saldrá con un tío que lleva zapatitos de crío como los suyos. Miguel le responde que sus botas están más que pasadas de moda. Miguel se quita por fin los zapatos, que están empapados. Ofelia dice que le huelen los pies. «Qué chica más divertida —piensa Miguel—. ¡Ojalá se aparezca pronto otra vez!».

Doctor Margarito

Esta historia comienza en un piso lujoso del centro de la ciudad. Una joven embarazada está sentada en un sofá, pero no se encuentra muy bien. Siente dolor, se agarra la tripa y al mismo tiempo parece que está muy contenta.

—¡Benjamín, llama a urgencias! Noto que el bebé ya viene —le anuncia a su marido.

El marido está como en otro planeta. Es un tipo alto, elegante y despistado, que lleva unas gafas supergruesas.

—Flo, querida, ¿cuál es el número de urgencias? —pregunta espantado el marido.

—¡Beeen! ¡Es el 15!

El futuro papá tiene la cabeza en otra parte. Trata de concentrarse. «Sí, el 15 —piensa—. Uno y cinco». Pero no ve muy bien y, como es su primer niño y anda un poco aturullado, marca el 13 en vez del 15.

El teléfono hace ¡critch! ¡critch! Cuando se marca el número 13 puede pasar cualquier cosa. La señal sonora hace vibrar el hilo subterráneo de la red telefónica. ¡Zzz!… ¡Zzzt!… ¡Desvío! La llamada no llega a la central. Se pierde entre viejos hilos retorcidos. Llega hasta lugares donde nadie en su sano juicio telefonearía jamás. Cruza la ciénaga maldita y el viejo cementerio. Y desemboca en la mansión encantada, en un teléfono cuya existencia todo el mundo ha olvidado.

Es un aparato de madera negra con una trompetilla para la oreja y un micrófono en la base. Cien generaciones de arañas han debido de tejer sus telas en él. Podría ser perfectamente el que hubiera anunciado el naufragio del *Titanic*. O tal vez asistió a la coronación de Napoleón. El timbre suena más o menos así: ¡GRINDRELINDRELINDRELÓN!

El teléfono se encuentra en una esquina de la casa sobre el lago en la que viven Oftalmo, Claudio y Margarito, los tres monstruos. ¡GRINDRELINDRE-LINDRELÓN!

Doctor Margarito

Nadie responde. Los monstruos están tirados en el sofá. Oftalmo se ha dormido. Claudio y Margarito ven la tele. Los monstruos tienen televisión por cable. La han instalado ellos mismos pirateando varios descodificadores que encontraron en la basura. Pero, a pesar de los conocimientos tecnológicos de Oftalmo, no captan muchas cadenas. Les llegan los programas infantiles, como los *Teletubbies*, que a Margarito le vuelven loco. También ven la información meteorológica y reportajes de animales. Sin habérselo propuesto, han conseguido sintonizar una cadena de Texas en la que siempre aparecen unos tipos con un gorro picudo blanco que gritan todo el rato, pero no

entienden muy bien lo que dicen porque no hablan su idioma. Y también cogen Al Jazirah, la famosa cadena donde los amigos de Bin Laden cortan la cabeza a la gente, pero no los comprenden bien porque tampoco hablan su idioma. Además, también sintonizan la mayoría de los programas nacionales. Y esa noche en la 2 ponen *Urgencias hospitalarias en el hospital*, la famosa serie de médicos de Jorge Cluni. A los monstruos les encanta *Urgencias hospitalarias en el hospital*. Margarito empieza a resumir la trama de esta saga:

—Va de historias de amor de unas gentes que se ponen malas y a veces lo manchan todo de sangre. Y algunas veces también se mueren y sufren muchísimo, y otras, muy pocas, la enfermera consigue casarse con el doctor. Porque casi todo el tiempo el doctor está besando a la

enfermera y le promete que va a dejar a su mujer y a casarse con ella, pero sólo lo dice para engañarla un poco porque, al final, el doctor se queda siempre con su mujer. Salvo un día que la enfermera telefonea a casa del doctor y dice: «Yuju, señora, soy la enfermera, su marido me besa todo el rato, así que va a tener usted que montarle una escena». Entonces el doctor se queda muy solo y se da al alcohol y se pone a operar a la gente de cualquier manera. Un día, coge a un tipo y le transplanta una oreja en vez del pajarito y se nota un montón porque le pone el pajarito en donde la oreja y entonces el tipo, al despertarse, quiere rascarse la oreja y no se queda muy convencido.

—¡Pero cállate! ¡Ya lo estoy viendo! —chilla Claudio furioso.

—Hablo porque me da vergüenza cuando se besan —dice Margarito todo colorado.

Efectivamente, en la pantalla el actor principal está a punto de besar a la enfermera.

—Mire, doctor Cluni —explica la joven—, me duele un poco aquí, en la garganta.

—Mmmmmm, vamos a ver —dice el doctor con voz tranquilizadora y le da un besazo de tornillo.

Entretanto, el viejo teléfono sigue sonando: ¡GRINDRELINDRELINDRELÓN! ¡GRINDRELINDRELINDRELÓN!

—Pero, bueno, ¿qué es todo ese follón? —pregunta Claudio, que por fin lo ha oído.

—No sé. A lo mejor mi pato musical, se me habrá olvidado apagarlo —responde Margarito.

—¡Pues vete a ver, porque tu pato me está inflando las narices!

—Vale. Me avisas cuando se besen, ¿eh?

—Que síí.

Margarito comprueba perplejo que su pato electrónico está apagado. De todas maneras acaba de recordar que, desde que intentó hacerle nadar en una charca de verdad con patos de verdad, ya no hace ningún ruido. Al final termina identificando la procedencia del timbre, pero antes de descolgar se pone a manipular el teléfono. Es evidente que Margarito ha olvidado cómo funcionan estos aparatos. De primeras, ni se le ocurre ponerse el auricular al oído. Oye una voz nerviosa que dice «¡Oiga! ¡Oiga!» y eso le hace troncharse de risa.

—Oi-ga —termina por decirle Margarito al aparato.

—¿Oiga? —pregunta el teléfono.

—¡OIGA! —responde Margarito muy orgulloso de haber establecido comunicación.

—Eh… ¿urgencias? —pregunta Benjamín, el marido de la mujer embarazada.

—¿Sí?… —responde Margarito. ¿Es un concurso de la tele?

—¿…?

—¡Eh! ¿Está usted ahí? ¡OI-GA! ¡OI-GA! Señor…

—Sí. Mi mujer está a punto de dar a luz. ¡Envíeme una ambulancia, es urgente!

—Eh… ¿al hospital?

—¡Claro que no! A mi casa.

—Bueno, eh, vale, sí, ¡ya vaaa! Eh… ¿pero su casa dónde está?

—Calle de los Monjes, 167, código postal 17.

—Huy, espere, espere, voy a escribirlo en un papel, que tengo un montón de cosas en la cabeza. ¡OFTALMOOOOOO! ¡Oftalmoooooo!

Oftalmo se despierta remoloneando. Con voz lánguida, pregunta si el episodio ha terminado.

—Deja eso —le dice Margarito, con el auricular pegado a la oreja—. Coge un papel y escribe: calle de los Monjes, 165.

—No, 167 —corrige la voz del teléfono.

Oftalmo toma nota y se vuelve a dormir.

Margarito cuelga y vuela hacia Claudio:

—Prepara la ambulancia, colega, va a nacer un niño.

—Pues mira qué bien, otro más.

Margarito y Claudio salen corriendo por el pasillo, cantando la sintonía de la serie:

Urgencias hospitalarias en el hospital.
Si tu madre anda fatal,
Urgencias hospitalarias en el hospital,
el doctor no está tan mal.
Urgencias hospitalarias en el hospital,
mejor que comer sin sal.

Llegan al garaje. Claudio no deja que Margarito conduzca su coche rosa. El vehículo arranca a toda pastilla, lanza por los aires tres lápidas sepulcrales y enfila alegremente hacia la ciudad.

Vampir

Atraídos por el estruendo, Vampir y su perro Fantomate llegan al cuarto de los monstruos y preguntan a Oftalmo que a qué viene todo ese ruido.

—¿Ah, el teléfono? Era por una *urgensia* —responde el monstruo con los tres ojos adormilados.

—¿Una urgencia de qué? —pregunta el perro alarmado.

—Médica —puntualiza la criatura del traje salmón—. Una señora *ehtá* a punto de traer al mundo un bebé y creo que *nesesitaba* que alguien la llevara al *hopital*.

—Ah ya —replica Fantomate, el sarcástico perro nicense—. ¿Y así, *espuntáneamente* ha *llamadu* a *Margaritu*?

—A Margarito y a Claudio —puntualiza Oftalmo, que no ve dónde está el problema.

—Ah no, no, no, no, no —grita Vampir desesperado—. Pero no puede ser. ¡Hay que intervenir de inmediato!

—*Oftalmu*, la *direcciún* —exige Fantomate con voz autoritaria.

—Ah, era la calle de *loh Monjeh* —responde Oftalmo, que pase lo que pase siempre conserva la cal-
ma—, pero el número no sabría yo…

En ese momento la calle de los Monjes está de-
sierta. De pron-
to el coche
rosa de
Claudio
aparece por
allí con un es-
truendo de mil demonios. El viejo ca-
charro rebota contra las aceras, tira los cubos
de basura y roza la aleta de un Mercedes, por
lo que la alarma se pone a sonar. Con un ruido de freno de mano digno de una película de policías, Claudio deja el coche

clavado en el suelo y Margarito se empotra la cabeza en el parabrisas. Muertos de risa, los dos monstruos salen del vehículo y se dirigen hacia el edificio de Benjamín y Flo.

Al lado de la puerta de cristal hay un portero automático con tres botones. Margarito y Claudio están supernerviosos por tener que usar un artilugio tecnológico que no tienen en su casa. Sonriendo como un crío a punto de gastar una broma, Margarito aprieta el primer botón. La voz débil y temblorosa de una anciana les responde:

—¿Quién eeees?

—Huy, no, no es ahí —responde Margarito volviéndose hacia Claudio—. Te toca a ti, colega.

Encantado, el enorme cocodrilo radiactivo presiona el segundo botón del interfono. Se oye una voz de cascarrabias que dice:

—¿Quiééén es a estas horas?

—No, no, tampoco es ahí. ¡Me toca otra vez! —dice el grandullón de Margarito dando brincos.

Aprieta el tercer botón y por fin se oye la voz de Benjamín:

—¿Sí? ¿Es usted, doctor?

—¡Eh! Es éste, colega —cuchichea Margarito al oído de Claudio.

—¿Doctor? —pregunta inquieto Benjamín.

—Sí, sí. ¡Doctor Margarito!

Claudio se inclina hacia delante y añade, riendo por el telefonillo:

—¡… y Claudio!

—Pasen, es en el primero —explica el hombre.

En el vestíbulo, los monstruos siguen con sus chorradas.

—¡Eh! Hacemos una carrera. Yo voy por el ascensor. Tú por la escalera —sugiere Claudio.

—¡No! ¡El doctor soy yo, yo cojo el ascensor! —protesta Margarito.

Estropean el ascensor y terminan subiendo a pie.

Por fin llaman al timbre de Benjamín y Flo. Abre él que, a pesar de llevar sus gruesas gafas, no ve mucho que digamos.

Por eso no se da cuenta de que se las tiene que ver con unos monstruos.

—Ehhh… ¿de qué hospital son exactamente?

—Del hospital de *Urgencias hospitalarias en el hospital* —responde Claudio.

—Eso no importa —protesta Margarito, que en su papel de médico toma las riendas del asunto—. Lo importante es poner un abrigo gordo a su mujer. Y SOBRE TODO —añade señalando el techo con un dedo y marcando un tiempo de pausa—, hay que ponerle un gorro de lana al bebé. ¡Fuera hace frío, señor!

—Ah… muy bien —dice cortésmente el marido desconcertado—. ¡Flo, querida, prepárate! ¡Han llegado los de la ambulancia!

Pero Flo es menos cegata que su marido. En cuanto ve a los monstruos suelta un grito de espanto y se desmaya. Margarito se acerca, le da unos golpecitos en la mano a modo de examen médico y confirma:

—¡Vaya, hombre! ¡Su mujer no está muy espabilada! Creo que será me-

jor que procedamos al par-
to sin ella. Demasiadas
emociones. ¡Bueno!
Preparen al bebé, nos
vamos.

Hasta Claudio se
siente un poco violen-
to por la barbaridad que
acaba de decir su colega. Así que, señalando con una garra la tripa de la señora, le explica
entre dientes:

—No… el bebé… está dentro.

—¡OOOooooh! ¿En la tripa, quieres decir? —exclama Margarito, maravillado ante los misterios de
la naturaleza.

Un poco más tarde, Vampir y Fantomate se dirigen
a la calle de los Monjes en busca de los dos monstruos
y el coche rosa. Siendo un barrio tan tranquilo, no
resulta muy difícil seguirles la pista.

—Ahí —dice el perro—, ¿has visto qué destrozo de
farola?

—Sí, lleva la firma de Claudio.

—¡*Buenu*, *buenu*, Vampir! Han guarreado toda la calle: huellas de neumático por el suelo, todos los cubos de basura tirados... ¡Santa Madre de los bocatas de calamares! ¡Se han estampado contra un Mercedes!

—No hay duda, han pasado por aquí. Pero no parece que el coche ande ya por estos parajes.

—De todas maneras deberíamos llamar para estar seguros —sugiere el perro preocupado.

—Bueno, venga, llama tú.

—No, no me atrevo —contesta el bulldog.

Vampir toca al primer botón y se oye a la anciana de antes:

—¿Quién eeees?

—Ahí no debe de ser, prueba en otro —propone el cuadrúpedo de mandíbulas salientes en voz baja.

Vampir llama entonces al botón de abajo y aparece el otro anciano del edificio, el de la voz de cascarrabias:

—¿Quiéeen es a estas horas?

—Soy la señora Brouchy —responde la primera voz.

—Vale, *señá* Brouchy, ¿y *pa* qué llama a mi casa a estas horas?

—¡Yo no he llamado, qué nochecita, por Dios! (Y cuelga).

—¡Encima! ¡Más educación, señora! (Y también cuelga).

Vampir y Fantomate se mondan de risa y al final terminan por llamar varias veces al último botón. Pero nadie responde en casa de Flo y Benjamín. Preocupados con la idea de que Claudio y Margarito hayan podido tomar alguna iniciativa funesta, el vampiro y su perro rojo deciden subir a ver. Vuelan hasta la ventana entreabierta y encuentran la casa vacía.

—En cualquier caso, los monstruos han estado aquí —afirma Fantomate—. Reconozco el olor.

—Yo también —responde Vampir—, no hay que ser un perro para olerlo. ¡Qué desastre! ¿Te imaginas que los hayan visto los dueños de la casa?

—¡*Buenu*! En todo caso aquí no hay nadie, el piso está más vacío que un colegio electoral en un desierto; ni señora embarazada ni marido. Atento, hay una esperanza. Que esos dos idiotas se los hayan comido, así no hablarán.

—Pero es horrible lo que dices, Fantomate. Si el Capitán de los Muertos se entera, se va a armar una gorda.

—Tranquilo, *pichuncete*, lo he dicho para asustarte. El olor de los monstruos y el de los mortales sigue en la escalera. Lo que quiere decir que se han ido juntos.

—¿Y dónde han podido ir?

—¿Tú qué crees, Vampir? ¿Dónde va una señora a punto de parir?

—¡¡¡Al hospital!!! Un momento, no son tan burros como para dejar que los vean en el hospital.

—¡Por supuesto! ¡Qué razón tienes! Claudio y Margarito son la inteligencia en persona. Es más, creo que no hay nadie que al hablar de ellos no diga: «¡Mira que son inteligentes Claudio y Margarito!». Bueno, y juntos son TODAVÍA más inteligentes.

Vampir y el perro vuelan hasta el hospital. Una vez allí suben a un árbol próximo al aparcamiento. A Fantomate le pone muy nervioso estar en sitios donde puedan descubrirlos y es que las criaturas de la mansión encantada deben hacer todo lo posible para no llamar la atención de los mortales.

—¿Ves el coche? —pregunta Vampir.

—¡Eeeeh, no! No están. ¿Bueno, volvemos a casa?

—De eso nada. Tenemos que estar seguros. Hay que entrar en el hospital.

—O sea, que si dos tontos se tiran al mar, ¿tú también?

—Shhhh, calla y sígueme —le ordena Vampir, colándose por una ventana abierta en una habitación oscura.

—Huy, aquí huele a caca —advierte Fantomate desde el alféizar de la ventana—. Me apuesto lo que sea a que Margarito anda cerca.

—Que no, imbécil, estamos en la nursery.

Efectivamente, en la amplia sala duermen como ceporros una docena de recién nacidos, todos en fila en sus cunitas de plástico transparente. Hay además colchones, material de puericultura, un calientabiberones, un cambiador.

—¿Qué ‹‹nursery››? ¿Ahora hablas en inglés? ¡Se dice ‹‹nido››! —matiza el perro.

Se inclina sobre una cuna y se queda extasiado frente a un bebé dormido, todo redondito y rosadito. Fantomate lo encuentra tan rico que no puede evitar hacerle cosquillas cariñosamente: ¡guli! ¡guli!

El bebé se despierta y ve el careto rojo y espantoso del perro fantasma. Se queda aterrorizado y empieza llora que te llora: ¡BUÁÁÁÁÁÁ! ¡BUÁÁÁÁÁÁ!

—Qué listo eres —gruñe Vampir—, lo has despertado.

—Pero cállate, cállate bebecito —le dice Fantomate en voz baja.

El bebé se pone a llorar más fuerte y Fantomate también sube el tono:

Doctor Margarito

—¡TE VAS A CALLAR! ¡A QUE SÍ!

Así que despierta a todo el nido. Unos diez bebés escupen al unísono el chupete y se ponen a berrear como gorrinillos en el matadero.

—¡Bravo, Fantomate! ¡Has aterrorizado a los bebés! —se desespera Vampir.

En ese momento una enfermera monumental, que hace la ronda por todas las cunas, abre de golpe la puerta del nido.

—Pero bueno, pero bueno, ¿qué pasa aquí? —dice poniendo otra vez todos los chupetes en su sitio.

Tiene palabras de ternura para todos los bebés. Para todos tiene un gesto de consuelo:

—¡Tú, qué rico eres, no tendrías que crecer…! Buenos días, Joséphine, sigues siendo mi chiquitina preferida… ¡Y tú, qué carita más graciosa! —dice al pasar ante la cuna donde se ha metido Vampir.

El muerto viviente trata de parecer un bebé y lloriquea sin convicción.

—¡Pero bueno, no has salido muy guapo, cariño, con esas orejas tan grandes! —bromea cariñosa la enfermera.

Y dicho esto, mete un chupete en la boca de Vampir y se va.

En cuanto la puerta se cierra, Fantomate, muerto de risa, sale de detrás de la cuna donde se ha escondido.

—¿Quieres que te caliente un biberón? —dice.

—Bueno, vale ya —refunfuña Vampir no sin antes escupir el chupete—. En cualquier caso, Margarito y Claudio no están aquí. Menos mal. Pero no entiendo dónde pueden andar esos dos.

—Escucha, chaval, en serio, este asunto nos supera. Tenemos que avisar al Capitán de los Muertos.

—Tienes razón —asiente Vampir preocupado.

Vampir y Fantomate vuelan hasta la mansión encantada. Justo a la entrada de la

cueva de los monstruos, una gruta contigua a la mansión, ven aparcado el coche rosa de Claudio.

—¡Espera! No me lo creo. ¡Es el coche de Claudio el que está aparcado delante de la cueva! —exclama Vampir.

—¿Y no se les ha ocurrido llevar a la señora que va a tener el bebé a la casa?

—A la casa no, Fantomate. Al cuarto de los monstruos.

—¡Mira tú dónde tienen el coche esos lechugones! ¡Ahí, bien escondido en un rincón para que no se vea!

—¡Pero no es posible, mira que son cenutrios!

Y en la cueva de los monstruos descubren a la joven tumbada en un sofá nada cómodo, medio inconsciente todavía. Margarito le está poniendo una toalla en la frente, mientras que, a su alrededor, el marido, Claudio y Oftalmo no paran de bailar primero sobre un pie y luego sobre el otro sin saber muy bien qué hacer.

—Bueno, ¿y ahora qué hacemos, doctor? —pregunta el padre con impaciencia.

—Eh, esperar al bebé —responde el muy burro de Margarito—. ¡No irá usted a enseñarme el oficio, vamos!

—Oh, no, no, no, doctor Margarito —puntualiza Oftalmo—. Si me permite, para que el bebé

venga, la madre tiene que *dehpertá* del *patatú*. Así que yo propongo que la *dehpertemo* un poco.

Y dicho esto, el irresponsable de Oftalmo saca del bolsillo de su pantalón de pinzas un frasquito con un líquido verde, humeante y por supuesto tóxico y se dispone a administrárselo a la futura mamá.

Por suerte, en ese instante Vampir irrumpe en la cueva acompañado por Pandora, Fantomate y el Capitán de los Muertos.

—¡Eh, monstruos! ¡Quietos! —ordena Vampir.

—Mmmm… perdónenme, doctor Margarito y colegas —dice el Capitán con firmeza—, el hospital les requiere urgentemente en OTRO LADO.

—¿Eh? —contesta Margarito, dispuesto a hacer el bien.

—Así es —añade el Capitán—. Salid los tres de aquí, y deprisa. Si no, ¡castigados sin tele!

Los monstruos desaparecen rezongando.

Seguido de su esposa, el Capitán se acerca a Benjamín y le estrecha la mano:

—Es usted el feliz futuro padre, imagino.

—¡Pues sí! —dice Benjamín con entusiasmo, aunque no tiene la menor idea de dónde se encuentra porque ve muy poco.

—Ah, es un hermoso oficio el de papá, ya verá. Bien, voy a hablarle francamente. Según el parecer de nuestros expertos, el alumbramiento se anuncia complicado: el niño se presenta por estribor y la vela mayor está algo replegada, de modo que en la maniobra, ya me entiende, va a haber que plegar, izar y azocar; será mejor que espere fuera.

—Ah, bueno. ¿Pero irá todo bien? —pregunta Benjamín.

—Por supuesto —contesta Pandora, empujándole fuera de la cueva—. Vaya a distraerse un poco. Capitán, Vampir, Fantomate, salid vosotros también.

De repente todo el mundo se encuentra fuera de la habitación. Pandora cierra la puerta y luego se acerca a la mujer, que sigue desmayada en el sofá.

—¡Uf! Ahora, a lo nuestro…

En el pasillo Benjamín, feliz pero impaciente, pasea arriba y abajo seguido por los tres monstruos, Fantomate, el Capitán y Vampir. También han llegado un montón de fantasmas, atraídos por toda aquella agitación, pero Benjamín no los ve.

—¿Eeeh, no hay máquina de café en este hospital? —pregunta.

—Espere, yo le hago café —propone Margarito con entusiasmo.

—Ya, no, ni hablar —afirma Fantomate—. Margarito, creo que el doctor Cluni os espera en la 2.

—¡El doctor Cluni en persona! —grita Margarito radiante, y sale corriendo, abandonando de pronto sus planes de hacer café con uno de sus calcetines inmundos.

En ese mismo instante, Pandora aparece en el umbral con un bebé lleno de vitalidad en los bra-

zos. Tiene los ojos grandes y negros, y lloriquea sua-
vecito.

—Es una niña —declara sonriente.

Benjamín besa a la recién nacida, que inmediatamente deja de llorar. En la mansión encantada todo es clamor de felicidad y gritos de alegría, be-
sos y felicitaciones. Los monstruos cogen sus
instrumentos musicales y, cada cual a su manera, se ponen a cantar:

Ha nacido una pequeña.
Es una niña y no un perro.
Ha nacido una pequeña
y mañana no es su entierro.

—Felicidades, señor —le dice Vampir a Benjamín.

—Gracias, pequeño. Voy a ver a mi mujer.

En el interior de la habitación de los monstruos, la joven está instalada en la coquetona cama de Oftalmo. Está agotada pero contenta. Pandora se acerca a ella con una taza de té en la mano:

—Tenga, Flo, le sentará bien.

—¿Qué es? —pregunta la joven todavía como en las nubes.

—Té —responde la vampiresa. La madre, confiada, bebe y en seguida se vuelve a dormir. Cuando se despierte, todo será de nuevo normal…

Al día siguiente, un sol radiante ilumina el hospital. Unos pajarillos pían alegremente en la ventana de los jóvenes padres. Están en una típica habitación, con flores blancas en el jarrón, regalos y una niña en los brazos a la que han puesto de nombre Salomé. La enfermera que ya conocemos hace las preguntas de rigor:

—¿Todo bien? ¿Necesitan algo? He terminado mi turno, me voy a dormir.

—Todo bien —responde Flo—, está todo muy limpio.

—Perdóneme —añade Benjamín—, antes de marcharme me hubiera gustado dar las gracias al doctor Margarito por todo lo que ha hecho por nosotros.

—Pero si aquí no hay ningún doctor Margarito, señor —responde la enfermera divertida.

—Lo ves, querido —dice Flo con ironía—, has estado delirando. Ya sabe, señorita, en situaciones de emergencia se aturullan por cualquier cosa.

El régimen de Tito Tepesh

—Pero mamá, ¿ese tito, quién es? ¿Es tu hermano? —pregunta Vampir, embutido en la mortaja de gala.

—No, es un amigo de la familia —responde Pandora, mientras pone una mesa muy bonita y coloca las servilletas dentro de las copas de cristal—. Pero hace tanto tiempo que le conocemos que puedes llamarle tito, le gustará.

—¿Por qué no ha venido nunca?

—No lo sé. Desde hace algunos años viaja poco.

La vieja campana de la mansión encantada está sonando.

—Debe de ser él —dice la vampiresa.

Pero al otro lado de la puerta no hay ningún invitado, sólo un esqueleto, uno de los inquilinos del cementerio vecino a la casa.

—Perdóneme, doña Pandora —dice el fiambre rascándose las costras del cráneo. ¿Es suyo el viejo ese del jardín?

En efecto, una forma inanimada yace a algunos metros de allí, medio empotrada contra la lápida sepulcral de un panteón. Pandora se ríe y corre hacia él:

—¡Tepesh!

Desde el vestíbulo, Vampir se dice que ese tío no va a ser ningún chollo. Con el fin de ser útil, aunque sin alterarse, convoca a las autoridades:

—¡Capitán! ¡Capitáááán! ¡Tito Tepesh está tirado en el jardín!

El Capitán de los Muertos corre en seguida, se acerca a Tepesh y le ayuda a incorporarse:

—Pero bueno, viejo amigo, ¿qué le ha sucedido?

El otro se levanta tembloroso, está gordo como un cerdo y tiene peor cara que la mayoría de los vampiros. Vampir cree que se parece como dos gotas de agua a Bela Lugosi, ese actor un poco ridículo que interpretaba a Drácula en las películas en blanco y negro. Pero incluso Bela Lugosi estaba menos gordinflón que él.

—¡Ah, Capitán! Cada vez me cuesta más volar y esta vez me ha fallado un poco el aterrizaje —dice con una voz cansada, cavernosa, y fuerte acento rumano.

—¿Un poco? —dice Fantomate con su habitual astucia—. Yo creo que, pasada una cierta edad, no deberían dejarles volar.

Los esqueletos se desternillan de risa y Vampir también. Pero Pandora frunce el ceño. No le gusta que se hable mal de la gente.

—Y yo me pregunto si los perros mal educados no deberían pasar la noche en el jardín. Eso les enseñaría a no decir maldades.

Para hacerse perdonar, el perro nicense pone mirada de cocker de grandes ojos brillantes.

—Oh, mira, mamá —implora Vampir conmovi-
do—, le brillan los ojos.

—Está bien… que venga, pero no quiero
oírlo más.

Por fin llega la hora de la cena. Toda la familia está reunida en torno
a la gran mesa del comedor. El Ca-
pitán de los Muertos, Pandora, Vampir, Fantomate y
tito Tepesh, el invitado de honor. También están los
tres monstruos, que se han puesto de punta en blanco: Claudio lleva pajarita; Oftalmo, un traje blanco,
y Margarito, con camisa de cuadros nueva, ha sido
relegado al final de la mesa, con los pequeños. Juega a hacer muñequitos clavando huesos de pollo en
las patatas, eso es bastante menos aburrido que es-
cuchar a tito Tepesh, a quien el Capitán no tiene más
remedio que dar conversación:

—Y bien, mi viejo amigo Tepesh, ¿qué hay de nuevo?

—Buf. No gran cosa…

—Sabes, Vampir, no hace mucho tiempo Tepesh
dirigía todo un ejército —explica el Capitán.

—¡Vaya! ¿Con aviones y todo eso? —pregunta
Vampir.

—No, con caballos, picas, espadas —responde el Capitán con entusiasmo.

—¿Es verdad, tito? —pregunta el niño, muy impresionado.

—Bueno, bueno, de todo eso hace mucho tiempo —masculla el viejo aguafiestas—. Oiga, Capitán, ¿usted entiende de cuestiones administrativas? Porque tengo que hacer la declaración de la renta y todos los años me sucede lo mismo, no me acuerdo de cómo hay que hacerla. ¿Se da cuenta? Sólo por la vieja mansión de los Cárpatos estoy obligado a pagar impuestos!

—¡Pero, tío! ¡Cuéntame lo de la guerra! —insiste Vampir, que pasa totalmente de los impuestos.

—Huy, tú no sabes —se queja el tío rumano—, a fuerza de montar a caballo tantos años me ha dado reuma, se me sueldan las vértebras y sufro un verdadero martirio, pequeño. De haberlo sabido, no habría ido a la guerra. Me habría quedado en mi casa tan ricamente.

Vampir se siente muy decepcionado. En seguida pide permiso para levantarse de la mesa. Pero su madre le responde que tenga paciencia porque la cena aún no ha terminado. Entonces el vampiro se coge la cabeza entre las manos y se pone a soplar como un vendaval. Se aburre muchísimo…

—¿Quién quiere café? —pregunta Pandora.

—¡Yo! ¡Yo! —chilla el cocodrilo radiactivo.

—Lo siento, Claudio. Tú no. Sabes muy bien que la cafeína te pone muy nervioso.

—Para mí un *dehcafeínado*, por *favó* —dice Oftalmo, la criatura criolla.

Vampir mira cómo Margarito juega distraído con los huesos y las patatas. Pandora le dice que se esté quieto. Margarito esconde las patatas bajo su trasero para que no se las quiten, se sienta encima y las espachurra en el sillón. Pandora grita que le va a estropear su "Luis XIII". Margarito lloriquea porque no quiere estropear a nadie. Tiene una mente tan simple que cree que la vampiresa está hablando de una persona y no de un sillón. Pandora limpia la silla, confisca los cadáveres de patata y ordena a Margarito que se esté quieto, porque el monstruo no deja de mover los pies y hace un ruido horrible. Él para unos segundos y ¡vuelta a empezar! Qué larga es una comida familiar… Vampir está agotado, no puede más. Tiene la impresión de llevar años allí. Está a punto de dormirse. Juega a apretarse los párpados para ver borroso. Juega a ponerse bizco. Mira a los invitados a través del cristal de

la copa. Hace trenes con las migui-
tas. A su lado, el perro de Niza ron-
ca y se tira pedos. Margarito coge la
caja de los palillos. Se los traga.
Le dicen que los escupa si no quiere que le salgan hemorroides.
Vampir se duerme.

Cuando abre de nuevo los ojos,
ya han quitado la mesa. Sobre el mantel blanco sólo
quedan unas tazas de café vacías y restos de pastel de
adormidera.

—Creo que es hora de volver —suspira el tío Tepesh.

Se incorpora, se frota la tripa con ambas manos y
vuelve a caer como un fardo en el sillón (también
Luis XIII).

—¿Le sucede algo, amigo? —le pregunta el Capitán.

—¡Nada! ¡Nada! —contesta el tito, ofendido.

Haciendo terribles esfuerzos se levanta por fin y
se dirige hacia la puerta con un crujir de rodillas.

—¿Claudio? —pregunta el Capitán—. ¿Tendrías la
bondad de acompañar a Tepesh a su casa en el coche?

—¡No, no, por su puesto que no! —dice molesto Tepesh—. No estoy impedido. Puedo volver a casa volando.

—En ese caso —sugiere Pandora—, ¿aceptaría que Vampir y el perro le acompañaran? Les gustaría tanto…

—En fin, no veo muy bien por qué —insiste el tío.

—Sí, es verdad, ¿por qué? —pregunta Vampir, que cree que ya ha pasado bastante tiempo con ese tío tan gordo.

—¡Por favor, Tepesh! Los niños sueeeeñan con ver tu castillo. ¿NO ES VERDAD, NIÑOS?

—Buenooo, en realidad, me gustaría morir de viejo —dice Fantomate— y luego…

—Y luego dormir fuera —le susurra Pandora al oído—. ¡Ya veis en qué estado está Tepesh! Como no lo acompañe alguien, no va a llegar nunca a su casa.

—¿Qué dice, Pandora? —pregunta el tío (que, además, es sordo).

—El perro insiste en ver su mansión, Tepesh. Pero como parece ser que usted se niega, le estoy explicando que es poco cortés insistir.

—Y yo tampoco insisto, tito —añade Vampir.

—Venga, no soy ningún monstruo —dice enternecido el viejo vampiro—. Si tenéis interés, me podéis acompañar.

Tepesh da unos pasos por el jardín, se masajea la tripa, inspira profundamente, eructa con discreción poniéndose la mano delante de la boca y después alza el vuelo laboriosamente, sin elegancia. Todos los habitantes de la mansión le saludan con la mano. Vampir y Fantomate vuelan a ambos lados.

Al principio apenas toman altitud, llegando incluso a rozar la cima de los árboles más altos. Luego atraviesan las nubes y se alejan vertiginosamente del suelo. Sobrevuelan paisajes cada vez más agrestes y montañosos. Vampir se dice que si Miguel estuviera con ellos, conocería el nombre de los montes por los que pasan, porque Miguel da geografía en el colegio. Y como Vampir no va al colegio, cree que se pierde algo maravilloso y que allí se aprenden muchas cosas. La arquitectura de los pueblos cambia, hace su aparición la nieve.

—¿Oyes, tito? ¿El viento hace música?

—No, viene de allí, del Danubio.

—¿El Danubio?

—El río, abajo. Vamos a descansar un poquito.

Descienden sobre una orilla del río. En la otra orilla, unos hombres arrastran una balsa como si fueran bueyes. A bordo, una vieja dama toca el violín. Esa era la música. Tepesh les explica

que es mejor que la mujer no los vea, que la
música es bonita pero que, si te dejas atra-
par por ella, terminas amarrado a la barca.
El tío parece conocer muy bien a la señora.
Pero ya no les cuenta nada más. Cuando la
barcaza se aleja y el violín se hace apenas
audible, Tepesh saca de la bolsa un montón
de provisiones y empieza a darse un atra-
cón ante la mirada horrorizada de sus acom-
pañantes.

—¿Quieres una loncha de salami, Vampir?

—¡Pero si no tengo hambre, tío! ¡Aca-
bamos de cenar!

—Pues yo, en cambio, sí que quiero —dice el glotón del perro.

—¡Tío, por qué comes tanto? Los
vampiros normalmente no comen
casi nada. La verdad es que no lo
necesitan…

—Ah, pues yo sí lo necesito, pequeño. Yo tengo hambre. Entiende, con los años ya
no me interesa nada; los
libros, la pintura, la

música, incluso el amor, me dan igual. ¿Qué me queda entonces? Comer.

—Sí, tito, pero el problema…

—El problema es que engordo. Y como engordo, me voy degradando. Casi no puedo volar. Pronto no seré capaz siquiera de subir las escaleras.

Y diciendo esto, Tepesh pega una dentellada a una loncha de fiambre, con la mirada perdida.

—Pero podría usted moverse un poco —sugiere el perro—, ¡hacer deporte, no sé!

—Oh, sí, antes me gustaba. Trepaba a las ventanas y mordía a la gente y todo ese rollo. Pero ahora, vaya pereza, me he abandonado.

—Sabes qué, tito, tendrías que intentar comer menos.

—Lo he intentado. La última vez estuve dos meses sin comer nada. Resultado, me agarré una depresión gigantesca y en el tiempo que me duró no salí del ataúd.

Vampir y Fantomate intercambian una mirada resignada. Piensan que el pobre viejo ya no puede hacer nada.

Cuando se acaba el salami, la pequeña comitiva reemprende el vuelo. ¡Tepesh se siente un poco pesado! Al amanecer anuncia a los chicos que lo que se extiende ante ellos es Transilvania, su reino. Justo antes de llegar al castillo, con sus almenas de granito en la cima de una montaña escarpada, a Vampir y Fantomate les sorprende el gigantesco osario que rodea aquellos dominios. La fortaleza de Tepesh se alza en medio de un mar de cadáveres. Es como si allí se hubieran librado cien guerras y, sin embargo, nunca nadie hubiera limpiado el campo de batalla. Los muertos llevan en ese lugar siglos, con la espada en mano, la bayoneta en el ojo del enemigo, el pedernal desgastado de tanto usarlo. Como una multitud de brochetas, una miríada de esqueletos con uniforme turco están ensartados en lanzas colosales. El cementerio continúa hasta donde alcanza la vista.

—¡Haala! ¿A qué viene este cementerio, tío?

—¡Ah sí, me dediqué a él cuando era más joven! —responde Tepesh.

—¡Un momento! ¿Usted mató a toda esa multitud de ahí? —pregunta el perro.

—Ah sí, la guerra… En aquel tiempo estaba en forma. De ahí el sobrenombre que me dieron: Tepesh.

—¿Qué quiere decir?

—En rumano quiere decir ‹‹empalador››.

—¡Haalaaa! ¡Tepesh el empalador! —repiten impresionados Vampir y su bulldog Fantomate.

Tepesh busca las llaves, abre la pesada puerta de su morada y deja sus cosas sobre una mesa del vestíbulo. Vive en un castillo increíble y, sin embargo, da la impresión de estar harto. Hace los mismos gestos que haría cualquier viejo solterón de vuelta a su apartamento de dos habitaciones. De una patada, tira los

zapatos de charol bajo una có-
moda, se sienta en un viejo puf y
se pone unas zapatillas violetas
con las gomas dadas de sí. Luego extiende la mano hacia unas
nueces que hay sobre una me-
sita.

Al contrario que el has-
tiado tío, Vampir y Fan-
tomate están fascinados
por lo que descubren en el vestíbulo de la entrada: una auténtica ga-
lería de pintura. Toda una serie de inmensos cuadros mostrando a Tepesh en distintas y relevantes
situaciones. Lo mismo cubierto con una armadura de
metal que dominando una montura fantasma. En
otros lienzos está arengando a su ejército. Por último, en una serie de retratos ovalados y redondos se
le ve del brazo de mujeres espléndidas y aparente-
mente muy ricas.

—¡Hala, tito, es impresionante!

—Sí, esas pinturas están hechas sobre un soporte
de madera. Para que queden mejor hay que tensar la
tela sobre un bastidor. Cuando un cuadro tiene esa
forma, se le llama «tondo», es una palabra italiana

que significa redondo…

—Que no, hombre, que no es eso lo que queremos decir —exclama el perro—. Pasamos del *rondo* de Venecia ese, decimos que su choza parece la de la peli de Drácula de Francis Ford Coppola.

—Normal —responde Tepesh—. Fue aquí donde la rodaron.

Vampir y Fantomate se quedan pasmados.

—¿Podemos dar una vuelta, tito?

—Por supuesto. Y más teniendo en cuenta que a la hora que es ya no podéis volver a casa antes de que amanezca. Voy a llamar a Pandora para avisarla.

Y sin levantarse del sillón descuelga el teléfono. Con la boca llena de frutos secos empieza a hablar:

—¿Pandora?… Sí, Tepesh… ¿Todo bien?… Perfecto… sí, sí. Muy formales. A propósito, Pandora, creo que es mejor que Vampir y su perro pasen el día aquí. Te los envío a casa mañana por la noche. ¿De acuerdo?… Perfecto, perfecto. Hasta la vista, querida amiga. Gracias por la cena de nuevo.

Y dicho esto cuelga, se echa un puñado de nueces al gaznate, coge unas cuantas en cada mano para el camino y se reúne con sus invitados, que están haciendo el inventario de los cuadros.

—Y en los *retondos* esos, todas esas gachís que se ven, ¿son sus ligues? —pregunta el perro.

—Oh, sólo algunas —responde Tepesh vanidoso—. Mira, ésas de ahí, por ejemplo. Eran dos gemelas y el marido no estaba al corriente de que se había casado con dos mujeres en lugar de con una. ¡Así que cuando la una estaba con el marido, la otra estaba conmigo!

—¿Y los enemigos de aquél? —pregunta Vampir señalando con el dedo una terrible batalla—. ¿Quiénes son? ¿Los turcos?

—¡Oh, no sólo ellos! —brama Tepesh con renovado entusiasmo—. En aquella ocasión, tenía a todo el mundo frente a mí, ¡de un lado el ejército del papa y del otro el del sultán! Vinieron a buscarme hasta el castillo, como el león y el perro que asediaron la guarida de Renard de Malpertuis.

—¿Y qué es lo que te reprochaban?

—Ehhh... Ciertos poemas blasfemos —explica el empalador muy orgulloso de sí mismo—. ¡Verás, justo a la derecha de donde te encuentras, contuve a más de un centenar! Con la espada, por supuesto, y también con ayuda de la magia: aliento de fuego, nubes de espectros, un enjambre de ángeles maléficos me obedecía.

Y Tepesh se pone a relatar la anécdota con pelos y señales. Sin olvidar un detalle. Mejor que en una película. Explica los poderes mágicos de cada uno de los demonios bajo sus órdenes. Cuenta que algunos cabalgaban sobre dragones. Describe con toda precisión cómo iban ataviados los soldados enemigos. Todo lo que cuenta es verdad. Es tan excitante que hasta parece que las pinturas se muevan.

Tepesh se emociona, revive todos los combates:

—Y en aquel momento, el ejército del papa arremetió contra mí. Su Santidad se había aliado con un joven de rizos rubios. No atendiendo más que a mi valor, cargué. Mi caballo escupe sangre, sus cascos dejan sobre la nieve llamas azules. El rubio corre hacia la muerte con una oración en los labios, blandiendo un martillo de Lucerna que rezuma agua bendita. Yo voy armado con un gato de nueve colas, un terrible mangual, hago girar por encima de mi cabeza las puntas de acero de mi arma, aaaaaah....

Y reproduciendo la escena, Tepesh se disloca un hombro y se agarra a la barandilla de la gran escalera para no caerse.

—¡Iiiaaauuuu!

—¿Estás bien, tito?

—Sí, sí —dice con tristeza el antiguo empalador—. No os preocupéis.

—Es maravilloso lo que podías hacer antes.

—Qué pena que se haya hecho viejo —añade el perro.

—¡Pero, Fantomate! ¡Los vampiros no se hacen viejos!

—Tienes razón, muchacho. No he envejecido. Sólo he engordado. Y empiezo a estar harto de esta tripa.

—Y el caballo que monta en los cuadros —pregunta el perro de color rojo—, ¿qué ha sido de él?

—No lo sé... Hombre, es cierto... La última vez que lo vi estaba en un armario, ¿pero en cuál?

Y Tepesh se pone a abrir todos los armarios del castillo. Vampir y Fantomate, con ganas de encontrar al caballo, lo acompañan. Llaman al animal por todas partes: «¡Caballo! ¡Cabaaallooooooo!».

Entre los viejos jerséis comidos por las polillas, en los estantes de libros, sobre los anaqueles de la bodega: «¡Cabaaaallooooooo! ¡Cabaaallooooo!»

—¡Rhooo! Pero dónde he podido dejar yo a ese penco —se pregunta el tío Tepesh.

En ese momento, en el fondo del armario de la ropa de invierno donde el tío guarda las mantas de mohair, se oye un infernal galope: ¡Cataclop! ¡Cataclop! En lo más recóndito del mueble. Miran pero está oscuro. No hay manera de distinguir el final, el armario es un pasillo. ¡Tucutú! ¡Tucutú! Salen unas llamas.

Se prenden fuego las mantas. Como rayo que lleva el diablo, un gigantesco esqueleto de caballo se encabrita frente a los tres amigos.

Su armadura chirría, los jirones de los arreos azotan la cara de Vampir. Sin pretenderlo, un soplo ardiente de sus fosas nasales provoca un incendio en las cortinas. Los cascos de hierro lo pisotean todo, el fuego todo lo destruye. Con nobleza, la montura espectral saluda a su amo.

—¡Huy! —exclama el perro, impresionado.

El régimen de Tito Tepesh

—Hola, viejo penco —dice Tepesh acariciándole la cabeza—. Ha pasado una eternidad.

Se reencuentran en el huerto del castillo, entre esqueletos de turcos y de guardias suizos. Tepesh lleva puesta la vieja armadura, reventada por la parte delantera. Vampir y Fantomate intentan ayudarle a subir al caballo.

—¡Venga! ¡En forma! ¡Arriba esos michelines! —se desgañita el perro, mientras empuja con todas sus fuerzas el grueso trasero de Tepesh.

El tío termina por subirse a la silla. El caballo parece tener graves dificultades para sostener a su amo. Sin embargo, él le ordena salir al galope.

—¡Hale, muchacho! ¡Ueh!...
Pero el animal no ha dado

tres pasos cuando Tepesh ya está en el suelo. ¡Menuda depresión! Se niega a moverse.

—No sirvo para nada —se lamenta el empalador.

—¡Venga, tito, de pie!

—Cuando uno se cae del caballo, hay que volver a subir inmediatamente —le anima Fantomate.

—No, dejadme. O mejor, llevadme al ataúd y clavad la tapa, se acabó, ya veréis como así adelgazo.

—¡No! ¡Para adelgazar no vale hacer cualquier cosa! —exclama el perro rojo—. Le pasó igual a mi prima, que se alimentaba sólo de productos dietéticos. Moraleja, dejó el régimen y recuperó el peso.

—Sí, tito. Si quieres perder peso, tienes que hacerlo con control médico.

—Sois muy amables, chicos. ¡Pero conocéis a algún médico que acepte tratar a un vampiro?

Vampir y Fantomate intercambian una mirada maliciosa.

—Desde luego que lo conocemos, tito. Vete a descansar. Mañana por la noche iremos a visitarlo.

A la noche siguiente vuelan a casa de Miguel.

—Puedes confiar en él, tito. Este doctor es el abuelo de mi mejor amigo.

El vampiro arrastra los pies sobre la gravilla del camino que lleva a la puerta de entrada.

—No hay que hacer ruido, tío, están todos durmiendo.

En ese momento un taxi se detiene ante la casa. Sale de él el abuelo de Miguel, al parecer algo achispado. Lleva traje de etiqueta y una bufanda de seda blanca anudada al cuello. Comprueba que no tiene manchas de carmín en las mejillas. Se huele las manos para estar seguro de que la dama con la que acaba de cenar no le ha dejado ningún perfume especial. Se dispone a entrar al domicilio conyugal cuando repara en los visitantes.

—¡Ah, Vampir! ¿Qué tal? —pregunta el abuelo Arturo.

—Muy bien, doctor Haftel. Le presento a mi tío Tepesh.

—Encantado, querido amigo. Tepesh, es rumano, ¿no es así? —En eso que se equivoca y dice una frase en checo—: *Ahoy, Tepesh, Yakcémash?*

—Yo muy bien —responde Tepesh encantado—, pero se equivoca usted de lengua.

Los dos hombres ríen y se palmean la espalda.

—¡Ja! ¡Ja! Soy realmente un viejo carcamal —dice el abuelo—. ¡Lo olvido todo! Hale, me es usted simpático, le invito a una copa.

—En realidad, más que nada veníamos a hacerle una consulta —advierte el vampiro tripudo.

—Sí, es que mi tío necesita hacer régimen, doctor.

—¿Por qué razón? —pregunta el abuelo.

—Porque me gustaría volver a montar a caballo, para que mi sobrino esté orgulloso de mí.

—Ah, si es por su sobrino, seguro que lo consigue. Entre, entre, nos ocuparemos de usted...

La puerta de la casa se cierra tras ellos. En seguida se enciende una luz en la planta baja, en el despacho donde pasa consulta el doctor. El tío Tepesh está en muy buenas manos.

FIN

Los libros

VAMPIR

Víctima de la moda
Doctor Margarito

Los Cómics

VAMPIR

Vampir va al colegio

"Los vampiros son libres como el viento. Vuelan,
pueden transformarse en rata, en lobo...
–Venga, en serio, Vampir... ¿Es que no se te ocurre
nada mejor que hacer que ir al colegio?"

Los Cómics

VAMPIR

Vampir y la sociedad protectora de perros

"–Si hubieran sido tres niñitos, o incluso
tres cerditos, les habría salvado. Pero como
son perros, que se fastidien, ¿eh? Qué asco,
me voy de esta casa."

ESTE LIBRO SE TERMINÓ DE
IMPRIMIR EN LOS TALLERES GRÁFICOS
DE HUERTAS, S. A. FUENLABRADA (MADRID)
EN EL MES DE ENERO DE 2006